Fehler ABC
Deutsch – Russisch

von
Ulf Borgwardt und Harry Walter

Neubearbeitung 1996

W0173079

Ernst Klett Verlag
Stuttgart · München · Düsseldorf · Leipzig

Fehler ABC Deutsch-Russisch
von Ulf Borgwardt und Harry Walter

Dieses Werk folgt der reformierten
Rechtschreibung und Zeichensetzung.

Gedruckt auf Recyclingpapier, das aus chlorfrei
gebleichtem Zellstoff hergestellt wurde.

2. neubearbeitete Auflage 2 ⁴ ³ ² ¹ | 1999 98 97 96
Die letzte Zahl bezeichnet das Jahr des Druckens.

© Ernst Klett Verlag GmbH, Stuttgart 1996.
Alle Rechte vorbehalten.

Redaktion: Katharina Voß, Elizabeth Webster.
Einbandgestaltung: Erwin Poell, Heidelberg; Ilona Arfaoui, Stuttgart.
Druck: Milanostampa, Farigliano.
Printed in Italy.
ISBN 3-12-560649-7

Inhalt

Zu diesem Buch

Es ist relativ leicht beim Erlernen einer Fremdsprache erste Kenntnisse zu erwerben. Doch bald können Unsicherheiten beim Gebrauch sprachlicher Ausdrücke auftreten: Es werden immer wieder Fehler gemacht, die zu Missverständnissen führen.

Dieses Fehler-ABC soll Ihnen helfen, diese typischen Fehler auszumerzen, ohne dabei eine Grammatik oder ein Wörterbuch ersetzen zu wollen. Es behandelt über 100 Wörter und idiomatische Wendungen, die für Sie als deutschsprachige Lernende zu den häufigsten Fehlerquellen im Umgang mit dem Russischen gehören.

Bevor Sie den Inhalt dieses Fehler-ABCs studieren, sollten Sie sich über zwei Fragen Klarheit verschaffen:

1. Welches sind meine typischen Fehler, d. h. an welchen Punkten kann ich meine Leistungen verbessern?

Sie können Ihre typischen Fehlerquellen herausfinden, wenn Sie den Einführungstest am Anfang des Buches lösen. Die 50 russischen Beispielsätze weisen Lücken auf und sind durch den passenden russischen Ausdruck zu ergänzen. Die deutsche Entsprechung ist jeweils in Klammern angegeben. Das „Test"-Ergebnis wird Ihnen zeigen, an welchen Stellen immer wieder dieselben Fehler passieren.

2. Wie kann ich meine Leistungen verbessern?

a) Lesen Sie zunächst die zu Beginn der einzelnen Stichwörter gegebenen Hinweise und prägen Sie sich ein, was diese für Sie an Neuem enthalten.

b) Danach übersetzen Sie mündlich, oder besser sogar schriftlich, die auf der linken Hälfte aufgeführten deutschen Beispiel- und Übungssätze.

c) Nun legen Sie zur Kontrolle die beigegebene rote Klarsichtfolie auf die rechte Seitenhälfte: die richtige Übersetzung wird lesbar. Sie vergleichen diese mit Ihrer Übersetzung und wissen nun genau, ob Sie das richtige Ergebnis haben, welche Fehler Sie gemacht haben und Sie können feststellen, welche Fehlerquellen Ihnen bislang vielleicht noch nicht voll bewusst waren.

Der Lernerfolg erhöht sich, wenn Sie den Stoff mehrmals von vorn durcharbeiten, d. h. durchlesen, übersetzen und vergleichen. Die Zahl Ihrer Fehler wird dabei gewiss immer geringer, und Sie spüren, wie Sie im Gebrauch des Russischen sicherer werden.

Falls Sie auch nach mehrmaligem Üben einige Probleme nur schwer in den Griff bekommen, sollten Sie dies am Seitenrand rot markieren und dann das gesamte Fehler-ABC daraufhin nochmals konzentriert durcharbeiten.

Und hier noch ein Hinweis zu den russischen Verben:
Gewöhnlich werden bei der Nennung der Verben beide Aspektpartner angeführt, wobei zunächst die perfektive (pf.) und an zweiter Stelle die imperfektive (ipf.) Verbform genannt wird. Handelt es sich um präfigierte Verben, dann ist das Präfix allein durch Bindestrich getrennt vor dem Ausgangsverb genannt (z. B. по-/привётствовать когó-что). Alle präfigierten Verben (außer einigen, die von den indeterminierten Verben der Fortbewegung abgeleitet sind) sind perfektiv.

Wir wünschen Ihnen viel Spaß beim Durcharbeiten des Fehler ABCs und vor allem viel Erfolg!

Einführungstest

1. Я . . . 8 лет в гимна́зии.   (lernte)
2. . . . 18 лет я око́нчил/а гимна́зию.   (mit)
3. Пять лет . . . я на́чал/а учи́ться
   в университе́те.   (vor)
4. . . . поигра́ем в ша́хматы?   (wollen)
5. Я не . . . игра́ть в ша́хматы.   (kann)
6. На́ша сестра́ . . . за учи́теля.   (heiratete)
7. Она́ живёт со . . . семьёй в дере́вне.   (ihrer)
8. Её до́чка уже́ . . . в шко́лу?   (geht)
9. Йра . . . восемна́дцати лет.   (Mädchen)
10. У неё ... во́лосы.   (braun)
11. Йра лю́бит . . . краси́во.   (anziehen)
12. Ма́йка не . . . к ю́бке.   (passen)
13. . . . зи́мнее пальто́, на у́лице моро́зно.   (anziehen)
14. Мой брат – челове́к . . . ро́ста.   (groß)
15. По-мо́ему, он краси́вый . . .   (Mann)
16. Ско́лько лет его́ . . .?   (Frau)
17. Де́душка пло́хо . . ., говори́те гро́мче.   (hört)
18. На́ша тётя – . . . же́нщина.   (gut)
19. Она́ кла́ссная . . . в том кла́ссе,
   где у́чится моя́ подру́га.   (Leiterin)
20. С . . . днём стано́вится холодне́е.   (jeder)
21. Как тебе́ нра́вятся . . ., кото́рые мы
   сде́лали на Кавка́зе?   (Bilder)
22. Мы пое́хали туда́ . . . три неде́ли.   (für)
23. Ульри́ке уже́ . . . раз там была́.   (einige)
24. Ты получи́л/а от неё . . . с ви́дами
   Кавка́за?   (Karten)
25. В э́том году́ мы бу́дем отдыха́ть в . . .
   Мекленбу́рг-Предпомера́ния.   (Land)
26. Мы пое́дем . . . Шве́рин.   (nach)
27. В э́том но́мере живёт шесть . . .   (Mann)
28. В како́м . . . вы живёте?   (Hotel-zimmer)

29. Вы ошибáетесь, э́то мой . . . (Sachen)

30. Вызови́те как мóжно . . . мили́цию. (schnell)

31. Мне нужнá нóвая . . . для фото аппарáта. (Film)

32. Вы интересýетесь . . . языкáми? (alt)

33. Он говори́т по-францýзски, . . . по-рýсски он не говори́т. (aber)

34. Я был/á бы рáд/а . . . бы он нáчал изучáть рýсский язы́к. (wenn)

35. Твоя́ задáча . . . в том, чтóбы помóчь нам в э́той рабóте. (besteht)

36. Ты . . . э́ту задáчу? (verstehst)

37. Лýчше мéдленно и прáвильно, . . . бы́стро, но с оши́бками. (als)

38. Как ты реши́л/а э́ту . . . задáчу? (schwierig)

39. . . . идýт хорошó. (Geschäfte)

40. . . . укáзана в рублях. (Preis)

41. Лéна былá бы рáда, . . . бы вы ей позвони́ли. (wenn)

42. Кто . . . её нóмер телефóна? (sich erinnern)

43. Рад тебя́ . . ., Лéна. (sehen)

44. Э́то . . . ещё свобóдно? (Platz)

45. Принеси́те мне, пожáлуйста, . . . винá. (Glas)

46. Я предпочитáю . . . кóфе. (stark)

47. Что вы . . . есть? (möchten)

48. Они́ дóлго говори́ли о . . . (etwas)

49. Разреши́те мне . . . (verab-schieden)

50. Мы бы́ли дóма . . . двух часóв утрá. (gegen)

Verzeichnis der deutschen Stichwörter

mit Seitenangabe

71. man (81)
72. Mann (82)
73. meinen (83)
74. mit (84)
75. mögen/möchten (85)
76. müssen (86)
77. nach (87)
78. passen (88)
79. Platz (89)
80. Preis (90)
81. Sache (91)
82. Satz (92)
83. schnell (93)
84. schon (94)
85. schwierig – schwer (95)
86. sehen (96)
87. sein(e) (97)
88. stark (98)

89. trotzdem (99)
90. über (100)
91. und (101)
92. ungefähr (102)
93. untersuchen (103)
94. verabschieden (104)
95. verstehen (105)
96. von (106)
97. vor (107)
98. wählen (108)
99. während (109)
100. waschen (110)
101. weil (111)
102. welcher (112)
103. wenn (113)
104. Werk (114)
105. wollen (115)
106. Zimmer (116)
107. zwei (117)

Fehler-ABC: „aber" bis „zwei"

1 **aber**

a – bei Vergleich zweier verschiedener Seiten einer Erscheinung bzw. bei gegensätzlicher Gegenüberstellung von Handlungen oder Erscheinungen
но – bei Einschränkungen (aber dennoch); Verbindung zweier einander entgegengesetzter Dinge und Handlungen

Ich lerne Russisch, aber meine Freundin Schwedisch.

Ich suchte dieses Buch überall, aber es war nirgends zu finden.

Meine Schwester liest gut, aber schreibt schlecht.

Die Erzählungen sind nicht neu, aber sehr interessant.

Er ist 32, sie aber 20 Jahre alt.

Aufgepasst!

Но kann in den Verbindungen „aber/sondern auch" *(но и)* und „aber dennoch" sowie in Sätzen mit gleichartigen entgegengestellten Bestimmungen durch *a* <u>nicht</u> ersetzt werden.

Seine Augen sind nicht grau, aber auch nicht braun.

Sie spricht langsam, aber fehlerfrei.

Anstelle von *но* kann auch die Konjunktion *однáко* gebraucht werden.

Das Konzert war beendet, aber niemand ging.

Aufgepasst!

Но kann in den Verbindungen „aber/sondern auch" *(но и)* und „aber dennoch" sowie in Sätzen mit gleichartigen entgegengestellten Bestimmungen durch *а* <u>nicht</u> ersetzt werden.

Aber sicher! – Ну конéчно! (чн wird gesprochen wie ш)

Es ist aber so! – Э́то же так!

Das war aber eine Freude! – Вот уж былá рáдость!

2 als

как – in der Eigenschaft (offiziell: *в ка́честве*)
когда́ – Konjunktion in Temporalsätzen (zu der Zeit, als/nachdem)
чем – bei Komparativformen
Genitiv des Vergleichswortes – bei Komparativformen
Instrumental – bei Berufsangaben

Ich spreche als Freund.

Als der Regen aufhörte, gingen wir Pilze suchen.

Sie fuhr als Dolmetscherin zur Konferenz.

Besser spät als nie (gar nicht).

Du handelst anders, als du sprichst.

Meine Freundin ist um zwei Jahre jünger als ich.

Sie arbeitet als Verkäuferin.

Aufgepasst!

sowohl ... als auch ... – *и* ... *и* ...; как ..., так и ...
Er spricht sowohl Englisch als auch Russisch. – Он говори́т *и* по-англи́йски *и* по-ру́сски. Он говори́т *как* по-англи́йски, *так и* по-ру́сски.

alt

3

ста́рый – alt, nicht neu, längst vergangen, nicht mehr jung
да́вний – seit langem existierend, langjährig, längst gewesen
пожило́й – älter, bejahrt, betagt (Personen)
дре́вний – uralt, altertümlich; antik
стари́нный – altertümlich, kulturhistorisch wertvoll

Wir haben eine alte Wohnung.

Interessieren Sie sich für die Geschichte des alten Roms?

Dieses Buch ist sehr alt und teuer.

Man muss ältere Menschen achten.

Schreiben Sie mir an die alte Adresse.

Das ist eine Universität mit alter Tradition.

Aufgepasst!

Wie alt bist du? – *Ско́лько* тебе́ лет?
Altes Testament – *Ве́тхий* Заве́т
Alles bleibt beim Alten. – Всё остаётся *по-ста́рому/по-пре́жнему*.
Alter – во́зраст

4

ankommen

Diese Bedeutung wird häufig mit einem durch *при-* präfigierten Verb der Fortbewegung ausgedrückt. Entscheidend ist die Art der Fortbewegung.

прийти́/-ходи́ть – zu Fuß, auch Postsendung
прие́хать/-езжа́ть – mit einem Fahrzeug
прилете́ть/-лета́ть – mit einem Flugzeug
приплы́ть/-плыва́ть – mit einem Boot, Schiff
дойти́/-ходи́ть – das Ziel erreichen(d)
прибы́ть/-быва́ть – eintreffen

Der Zug kommt auf Gleis vier an.

Er ist mit dem Schiff angekommen.

Für Sie ist ein Brief angekommen.

Um wie viel Uhr kommen wir in Moskau an?

Das Flugzeug kam mit Verspätung an.

Wir sind alle wohlbehalten in Berlin angekommen.

Aufgepasst!

Darauf kommt es eben an! – В то́м-то и де́ло!
Nun sind wir endlich angekommen. – Дое́хали!

anziehen – ausziehen

одéть/одевáть – *раздéть/раздевáть* – jmdn.
одéться/одевáться – *раздéться/раздевáться* – sich selbst
надéть/надевáть – *снять/снимáть* – (jmdm.) etw.

Die Mutter zieht das Kind an (aus).

Sie zieht sich gerne modern an.

Zur Disko ziehe ich die Jeans an.

Sie können sich anziehen.

Heute hat Anne ihr bestes Kleid angezogen.

Zieht euch wärmer an, draußen ist es kalt.

„Ich habe nichts anzuziehen" – sagen alle Frauen.

Die Krankenschwester hilft dem Patienten beim Ausziehen.

Ziehen Sie den Mantel bitte im Flur aus.

Aufgepasst!

eine Brille aufsetzen/absetzen – *надéть/надевáть/снять/ снимáть очки́*
der Magnet zieht Eisen an – магни́т *притя́гивает* желéзо

6 auch

тóже – gleichfalls, steht nie am Satzanfang
тáкже – gleichfalls, auch (noch), oft in Verbindung mit *и*, *а*, *но*
и – gleichfalls, steht am Satzanfang und vor dem zu betonenden Wort

Auch sie lernt Russisch.

Ich las Puschkin, Gogol, aber auch Hugo.

Tanja war auch nicht da. Auch Irina fehlte.

Dieses Telefon funktioniert auch nicht.

Er hat auch noch zwei Brüder.

Das kann mir auch passieren.

Das kann auch mir passieren./Auch mir kann das passieren.

Aufgepasst!

sowohl . . . als auch – *и . . . и* oder *как . . ., так (и)*
nicht nur . . . sondern auch – *не тóлько . . ., но и*

aufnehmen

подня́ть/поднима́ть – hochnehmen, aufheben
нача́ть/начина́ть – eine Tätigkeit beginnen
снять/снима́ть – (mit einem) Film (auch: *(с)фотографи́ровать*)
включи́ть/включа́ть – in eine Sammlung, einen Bericht, ein Programm
восприня́ть/воспринима́ть – einen Gedanken, eine Nachricht
приня́ть/принима́ть – einen Gast, ein Mitglied, Nahrung, eine Bestellung
соста́вить/составля́ть – ein Protokoll

Er wurde in die Universität aufgenommen.

Sie hat eine Arbeit als Sekretärin aufgenommen.

Viktor, nehmen Sie davon ein Protokoll auf!

Der Kellner hat die Bestellung des Gastes aufgenommen.

Willst du nicht den Kreml aufnehmen?

Wir haben die neuen Fakten in den Vortrag aufgenommen.

Wie hat deine Freundin die Information aufgenommen?

Er hat das Portemonnaie vom Fußboden aufgenommen.

Aufgepasst!

ein Gespräch auf Kassette aufnehmen – *записа́ть/ запи́-сывать* разгово́р на кассе́ту (umg.: на магнитофо́н)
einen Kredit aufnehmen – *получи́ть/получа́ть* креди́т

8 ## Bahn

желе́зная доро́га – Eisenbahn (Zug: *по́езд*)
трамва́й – Straßenbahn
трек – Radrennbahn
като́к – Eisbahn
(белова́я) доро́жка – Aschenbahn
орби́та – Umlaufbahn, Flugbahn eines Himmelskörpers

Mein Vater arbeitet bei der Bahn.

Dort kommt unsere (Stra-ßen-)Bahn!

Unsere Freunde kommen mit der Bahn.

(Unter) Eisläufern ist Medeo bekannt durch seine Bahn.

Die Bahn im Stadion ist neu.

Die olympische Radrenn-bahn Moskaus befindet sich in Krylatskoje.

Die Wissenschaftler unter-suchen die Mondbahn.

Bank

скаме́йка – Sitzgelegenheit
банк – Geldinstitut
па́рта – Schulbank

Ich sitze auf einer Bank.

Wo ist die nächste Filiale der Staatsbank?

Er muß sich auf die Schulbank setzen.

Die Schecks kann man auf der Bank einlösen.

Im Park stehen neue Bänke.

Aufgepasst!

etwas auf die lange Bank schieben – отложи́ть/откла́дывать что-н. *в до́лгий я́щик*

10 | beginnen – beenden

нача́ть/начина́ть – *ко́нчить/конча́ть* – etw. beginnen/etw. beenden

нача́ться/начина́ться – *ко́нчиться/конча́ться* – etw. beginnt/etw. endet, geht zu Ende

Die Ferien haben begonnen/sind zu Ende gegangen.

Ich werde die Mathematikaufgaben nach dem Mittagessen beginnen/beenden.

Er hörte auf zu schreiben und begann zu zeichnen.

Der Sommer geht zu Ende, bald beginnt der Herbst.

Aufgepasst!

Ende gut – alles gut. – Всё хорошо́, что хорошо́ конча́ется.

begrüßen

по-/приве́тствовать кого́-что – willkommen heißen; bejahen, gutheißen
по-/здоро́ваться с кем – begrüßen (beim Abholen); guten Tag sagen
встре́тить/встреча́ть кого́ – empfangen

Ich begrüße Sie im Namen des Bürgermeisters unserer Stadt.

Hast du unseren alten Lehrer schon begrüßt?

Die Russen haben uns mit Brot und Salz begrüßt.

Der Lehrer betrat das Klassenzimmer und begrüßte die Schüler.

Wir begrüßten diesen Vorschlag.

Aufgepasst!

mit Handschlag begrüßen – *здоро́ваться за́ руку*

Begrüßungsformeln zu unterschiedlichen Gelegenheiten:

Здра́вствуй(те)! (zu jeder Tageszeit) – Guten Tag! Ich grüße dich (Sie)!
До́брый день! – Guten Tag!
До́брое у́тро! С до́брым у́тром! – Guten Morgen!
До́брый ве́чер! – Guten Abend!
Приве́т! (ungezwungen) – Grüß' dich! Hallo!
С прие́здом! Добро́ пожа́ловать! – Herzlich willkommen!

12 **bei**

у – bei jmdm., zusammen mit jmdm.
под – in Verbindung mit Ortsnamen
на/в – bei öffentlichen Einrichtungen
при – bei der Charakterisierung von Begleitumständen

Sigried arbeitet bei der Bahn.

Peter ist bei der Bundeswehr.

In den Ferien erholen wir uns bei Freunden.

Wir schlafen bei offenem Fenster.

Petershof ist eine Sehenswürdigkeit bei St. Petersburg.

Aufgepasst!

In Verbindung mit Verbalsubstantiven wird „beim" gewöhnlich nicht übersetzt und durch ein unvollendetes Verb wiedergegeben.

Er ist beim Lesen. – Он читáет.

bekannt

изве́стный – von vielen gekannt, berühmt
знако́мый – persönlich bekannt, vertraut

Dieser Mann kommt mir bekannt vor.

Er ist einer der bekanntesten Schauspieler Russlands.

Das ist ein sehr bekanntes Lied.

Wir sind lange bekannt.

Sind Sie mit meinem Freund bekannt?

Davon ist mir nichts bekannt.

Aufgepasst!

Ich bin bekannt in Moskau. – Меня́ *зна́ют* в Москве́.

bestehen

про-/существова́ть – existieren, vorhanden sein
состоя́ть (nur ipf.) – sich aus etw. zusammensetzen, in etw. begründet sein
настоя́ть/наста́ивать – auf etw. beharren
вы́держать/выде́рживать – Prüfung, Kritik, Kampf bestehen, überstehen

Ich bestehe auf meiner Forderung.

Die Gesetze bestehen für alle.

Das Frühstück bestand aus einer Tasse Kaffee und einem mit Wurst belegten Brot.

Unsere Aufgabe besteht darin, Russisch sprechen zu lernen.

Er hat erfolgreich die Aufnahmeprüfung bestanden (überstanden) und ist in das erste Studienjahr der Philologischen Fakultät aufgenommen worden.

Das Leben auf der Erde besteht viele Millionen von Jahren.

Die Eltern bestehen darauf, dass der Sohn nach Hause fährt.

Aufgepasst!

Er hat die Prüfung bestanden. – Он сдал экзáмен.

bestellen

заказа́ть/зака́зывать – etw. bestellen, in Auftrag geben
вы́звать/вызыва́ть – jmdn. bestellen, kommen lassen
назна́чить/назнача́ть – jmdn. einsetzen
переда́ть/передава́ть – jmdm. etwas übermitteln
обрабо́тать/обраба́тывать – den Boden bearbeiten

Bestellen Sie uns bitte zwei Theaterkarten für morgen!

Der Botschafter wurde ins Außenministerium bestellt.

Mein Freund wurde zum Vorsitzenden der Kommission bestellt.

Das habe ich nicht bestellt.

Die Bauern bestellen die Felder.

Bestellen Sie Ihren Eltern Grüße von mir.

Aufgepasst!

nichts zu bestellen haben – не име́ть ша́нсов на успе́х

16 **besuchen**

зайти́/заходи́ть – vorbeikommen
навести́ть/навеща́ть – Bekannte besuchen
посети́ть/посеща́ть – Stadt, Museum, Vorlesung usw.
besuchen

Er hat am Sonntag die Eltern besucht.

Besuchen Sie mich doch mal!

Sie besuchte diese Ausstellung.

Petja besucht die Vorlesungen regelmäßig.

Aufgepasst!

(offiziell) einen Besuch abstatten – нанести́/наноси́ть визи́т

Bild

картина – Bild, Gemälde
снимок – Foto, Aufnahme
изображение – Fernsehbild
кадр – Szenenfoto aus einem Film
представление – Vorstellung

Wann sind die Bilder fertig?

Das Bild ist unscharf, weil der Fernseher alt ist.

Dieses Bild ist in der Ermitage ausgestellt.

Sie hat ein klares Bild von ihrem zukünftigen Beruf.

In der Zeitschrift sind Bilder aus dem letzten Film von Hitchcock.

Aufgepasst!

ein Bild in Öl – портрет, написанный (картина, написанная) маслом
ein trauriges Bild bieten – являть собой печальное зрелище
jmdn. über etw. ins Bild setzen – про-/информировать кого-л. о чем-л.
– ввести/вводить в курс какого-н. дела

18 bis

до – Angabe eines Zielortes, eines Zeitpunktes, vor Zahlen
по – bis einschließlich
кро́ме – bis auf, ausschließlich
пока́ не – solange nicht, bevor (Konj.)

Von Moskau bis St. Petersburg sind es etwa 700 km.

Alle waren zu Hause, bis auf Großvater.

Ich bleibe hier, bis der Regen aufhört.

Im Saal haben bis zu 1000 Menschen Platz.

Die Ausstellung ist bis einschließlich heute geöffnet.

Sie wartete, bis ich kam.

Aufgepasst!

Bis dann/gleich! – Пока́!
bis auf einige Fälle – за исключе́нием не́которых слу́чаев
bis in alle Ewigkeit – на́веки

braun

кори́чневый – Farbadjektiv allgemein (kaffeebraun)
ка́рий – Augen
кашта́новый – Haare
загоре́лый – gebräunt, braungebrannt
сму́глый – braune Hautfarbe (Teint)

Sie trägt ein braunes Kleid.

Sie hat braunes Haar und außerdem braune Augen.

Er hat ein braungebranntes Gesicht.

Du bist schön braun gebrannt.

Iwan hat einen braunen Teint.

Aufgepasst!

braune Vergangenheit (Faschismus) – кори́чневое про́шлое
Braunkohle – бу́рый у́голь

20 **bringen**

привести́/приводи́ть – führen
привезти́/привози́ть – transportieren (in einem Fahrzeug)
принести́/приноси́ть – herbeitragen

Der Kellner brachte uns die Speisekarte.

Das Flugzeug brachte neue Touristen.

Wann bringt man Ihnen die neuen Möbel?

Freitags bringt Katja die Tochter aus dem Kindergarten nach Hause.

Bringen Sie eine Flasche Sekt!

Die Kinder werden mit dem Bus in die Schule gebracht.

dass

что – leitet eine erläuternde Feststellung ein

чтобы – leitet zweckbezogene Wünsche, Forderungen, Erwartungen, Befürchtungen und Absichten ein

Die Mutter sagte, dass ich den Brief geschrieben habe.

Die Mutter sagte, dass ich den Brief schreiben soll.

Ich wünsche, dass du das Buch liest.

Der Schüler erklärte, dass er alle Aufgaben erledigt hat.

Aufgepasst!

Nach *чтобы* in dieser Bedeutung steht das <u>Verb immer im Präteritum.</u>

22 durch

по – meist Durchqueren nicht nur in einer Richtung; per Hilfsmittel

чéрез – Durchqueren in einer Richtung; per Vermittler/ Vermittlung; durch etw. Dichtes hindurch (auch: *сквозь*)

Lass uns durch den Park gehen!

Lass uns durch den Park spazieren!

Wir sind durch den Schnee gegangen.

Wir werden quer durch die Stadt fahren.

Wer schaut dort durch die Scheibe?

Er verständigt sich mit uns durch einen Dolmetscher.

Eine wichtige Meldung ist soeben durchs Radio ge- kommen.

Aufgepasst!

jmdm. einen Strich durch die Rechnung machen – нару- шúть чьи-л. плáны

alle durch die Bank – все без исключéния/разбóра

einige

не́который, -ая, -ое – vor nichtzählbaren Substantiven
не́которые – verschiedene
немно́го – vor Konkreta (mit Gen.)
не́сколько – mehrere (vor Zahlwörtern: *о́коло*)

Mein Bruder war schon einige Male am Schwarzen Meer.

Ich habe noch einige Hoffnung.

Sie hat einiges Geld gespart.

Dafür braucht man einige Zeit.

Wir haben einige Freundinnen eingeladen.

24 # Einrichtung

учрежде́ние – Institution
обору́дование – Ausstattung in einem Raum mit Geräten; als Handlung
обстано́вка – Ausstattung in einem Raum mit Möbeln

Unser Institut ist eine selbständige wissenschaftliche Einrichtung.

Gefällt Ihnen die neue Einrichtung des Physikraumes der Schule?

Meine Freunde haben eine moderne Zimmereinrichtung: Schrankwand, CD-Player, Telefon . . .

In unserer Einrichtung arbeiten ungefähr 100 Menschen.

Die Einrichtung ist ziemlich einfach, weil er in bescheidenen Verhältnissen lebt.

eintreten

войти́/входи́ть – hineingehen

вступи́ть/вступа́ть – beitreten (Partei, Verein usw.)

вы́ступить/выступа́ть (за) – plädieren für

наступи́ть/наступа́ть – eintreten (Beginn)

поступи́ть/поступа́ть – antreten, aufnehmen, eintreten (Schule, Universität, Arbeit usw.)

произойти́/происходи́ть,

случи́ться/случа́ться – geschehen

Darf man eintreten? – Bitte!

Sie traten für die Demokratie ein.

Stille trat ein.

Was Lena vermutet hatte, trat ein.

Vor 2 Jahren bin ich in diese Organisation eingetreten.

Wann sind Sie in den Betrieb eingetreten?

26 Eis

лёд – Eis (Aggregatzustand des Wassers)
моро́женое – Speiseeis

Geben Sie mir bitte eine Portion Eis mit Früchten.

Das Eis trägt.

Petja und Anja sind aufs Eis gegangen.

Mögen Sie Schokoladeneis?

Aufgepasst!

auf dem Eis Schlittschuh laufen – ката́ться на конька́х по льду

(sich) erinnern

напо́мнить/напомина́ть – ins Gedächtnis zurückrufen, ähnlich erscheinen
вспо́мнить/вспомина́ть – sich ins Gedächtnis zurückrufen
по́мнить/помина́ть – sich im Gedächtnis bewahrt haben

Ich erinnere mich an alles.

Er erinnert mich an meinen Bruder.

Sie erinnert sich gut an ihre Kindheit.

Erinnere mich morgen an die Exkursion.

Erinnern Sie sich noch an mich?

Ich kann mich nicht erinnern, wo ich diesen Menschen gesehen habe.

Aufgepasst!

Wenn ich mich recht erinnere . . . – Éсли мне па́мять не изменя́ет . . .

28 erklären

объясни́ть/объясня́ть – jmdm. etw. erläutern
заяви́ть/заявля́ть – etw. verkünden
объяви́ть/объявля́ть – etw. offiziell mitteilen
объясни́ться/объясня́ться – sich jmdm. erklären

Erkläre mir bitte die Aufgabe!

Die Firma erklärt sich für bankrott.

Der Professor erklärt seinen Entschluss, die Experimente fortzusetzen.

Er hat Marina eine Liebeserklärung gemacht.

Der Vorsitzende erklärt die Versammlung für eröffnet.

Wie kann man das besser erklären?

essen

по-/éсть – essen, speisen
по-/кýшать – speisen, bei höflicher Aufforderung
по-/зáвтракать – frühstücken
по-/обéдать – zu Mittag essen
по-/ýжинать – zu Abend essen

Haben Sie schon gefrüh-
stückt/zu Mittag gegessen/
zu Abend gegessen?

Ich möchte gern etwas es-
sen.

Essen Sie bitte!

Das kann ich leider nicht
essen.

Nach dem Mittag aßen wir
Eis.

Aufgepasst!

Das ist ein feines Essen. – Вот это изысканное блюдо.
Das Essen ist hier sehr gut. – Кóрмят нас здесь óчень
хорошó.
Es wird nichts so heiß gegessen, wie es gekocht wird. – Не
так стрáшен чёрт, как егó малюют.

30 **etwas**

чтó-нибудь – gleichgültig was (auch: *чтó-либо*)
чтó-то – unbekannt was
кóе-что – offengelassen was

Ich habe dir etwas mitge-
bracht.

Ulf hat etwas gesagt, aber
ich habe es nicht verstanden.

Kauf dir etwas zum Abend-
essen!

Er hat etwas gefunden, frag
ihn, was es ist.

Aufgepasst!

Ich bin etwas müde. – Я немнóго устáл/а.
Ich bin heute etwas später als sonst gekommen. – Я сегó-
дня пришёл/пришлá нескóлько пóзже, чем обы́чно.

fahren

éхать – in nur einer Richtung

éздить – nicht nur in einer Richtung oder als sich wiederholende oder gewohnheitsmäßige Handlung; als Fähigkeit

Dieser junge Mann kann gut Motorrad fahren.

Er fährt auf dem Fahrrad durch die Straßen.

Jetzt fahren wir zur Oma.

Im Urlaub fahren wir gewöhnlich in die Alpen.

Wann fahren Sie nach Köln?

Wo wart ihr? Wir waren baden gefahren.

Aufgepasst!

ein Auto fahren – води́ть маши́ну

jmdn. fahren – вози́ть кого́-н.

Der Zug fährt schnell. – По́езд идёт бы́стро.

32 **falsch**

не тот – nicht der richtige
непра́вильный – unrichtig, fehlerhaft
фальши́вый – gefälscht, unecht

Er hat diesen Satz falsch übersetzt.

Sie sind an der falschen Haltestelle ausgestiegen.

Er hat den falschen Satz übersetzt.

Das sind falsche Dokumente.

Deine Uhr geht falsch.

Aufgepasst!

Sie haben mich falsch verstanden. – Вы меня́ не так по́няли.

Fehler

ошибка – Fehler, Irrtum, moralische Verfehlung
недостаток – Mangel
дефект – Materialfehler (auch: *недостаток*)
вина – Verschulden

Kein Mensch ist ohne Fehler.

Verbessern Sie mich, wenn ich Fehler mache.

Diese Ware hat einen Fehler.

Das ist nicht mein Fehler.

Jeder hat seine Fehler.

In diesem Text sind viele Fehler.

34 Film

фильм – künstlerisches Werk (auch: *картúна, кино-фúльм*)
плёнка – Filmstreifen für den Fotoapparat
кинó – Film als Institution/Organisation

Haben Sie einen Schwarz-weiß-Kleinbildfilm?

Welchen (Kino-)Film kön-nen Sie mir empfehlen?

Haben Sie diesen Film schon im Fernsehen gese-hen?

Wer ist der Regisseur die-ses Filmes?

Wollen Sie zum Film (ge-hen)?

Aufgepasst!

dünner Ölfilm – тóнкая мácляная плёнка

fliegen

летéть – in nur einer Richtung
летáть – nicht nur in einer Richtung oder als sich wiederholende oder gewohnheitsmäßige Handlung; als Fähigkeit

Ich fliege jedes Jahr nach Moskau.

Meine Eltern fliegen morgen nach Japan.

Vögel können fliegen.

Von Berlin nach Moskau flog er zwei Stunden.

Aufgepasst!

Wie *летéть/летáть* werden u. a. auch gebraucht:
плыть/плáвать – schwimmen
везтú/возúть – etwas/jmdn. fahren, transportieren
вестú/водúть – etwas/jmdn. führen (z. B. an der Hand, Fahrzeug)
нестú/носúть – tragen, bringen

36 Frau

жéнщина – Frau allgemein
женá – Ehefrau, Anrede für die eigene Frau
госпожá – bei höflicher Anrede, nicht jedoch vor Titeln und Verwandschaftsbezeichnungen

Sie ist eine hübsche Frau.

Er hat eine hübsche Frau.

Gestatten Sie, dass ich Ihnen Frau Skvorcova vorstelle?

Diese Frau hat braune Haare.

Meine Frau ist 23.

Aufgepasst!

Guten Morgen, Frau Doktor! – Дóброе ýтро, *дóктор*!
Das ist typisch Frau! – Онá (это) типи́чная жéнщина!
alte Frau – пожилáя жéнщина

führen

вести́ – in nur einer Richtung, Gespräche führen
води́ть – nicht nur in einer Richtung oder als sich wiederholende oder gewohnheitsmäßige Handlung; als Fähigkeit
приводи́ть – zur Folge haben

Wir führen die Kinder oft in den Wald.

Wohin soll das führen?

Wohin führt dieser Weg?

Kutusow führte den Kampf gegen Napoleon.

Der Streit führt zu keinem Ende.

Möchten Sie ein Orts- oder ein Ferngespräch führen?

Aufgepasst!

einen Warenartikel führen – име́ть в ассортиме́нте
etw. bei sich führen – име́ть при себе́ что́-н.
eine Armee führen – кома́ндовать а́рмией
einen Titel führen – носи́ть (зва́ние профе́ссора, до́кто-
ра . . .)
führen (in der Mannschaftswertung) – лиди́ровать (в ко-
ма́ндном зачёте)

38 | für

для – verweist ganz allgemein auf Zweckbestimmung oder Zielperson

по – verweist auf Tätigkeit von Personen oder Gremien, Inhalt von Fachbüchern, Art der Spezialisierung

за – verweist auf Zweckbestimmung, Grund, Gegenwert, Preis, Austausch

на – verweist auf Zeitspanne oder Zeitpunkt, auf quantitativen oder qualitativen Aspekt

Für die damalige Zeit war das eine bedeutende Leistung.

Für einen Ausländer spricht er gut Deutsch.

Kaufe zwei Karten für morgen.

Er hat dieses Buch für 2 Rubel gekauft.

Professor Fjodorow ist ein bekannter Spezialist für Augenheilkunde.

Wir fahren für zwei Wochen in die Alpen.

Aufgepasst!

für sich lesen – читáть про себя́
für sich (alleine) arbeiten – рабóтать одúн/однá/совершéнно самостоя́тельно
für den Fall, dass . . . – в слýчае, éсли

ganz

весь – mit best. Artikel
це́лый – mit unbest. Artikel; heil, unversehrt
совсе́м – völlig (Adv.)
вполне́ – vollkommen, völlig (Adv.)
соверше́нно – vollständig, völlig (Adv.)

Der Arzt ist ganz zufrieden mit mir.

Das Glas ist ganz.

Ich bin ganz gesund.

Er hat ein ganzes Glas Milch getrunken.

Den ganzen Urlaub verlebten wir im Kaukasus.

Sie hat das ganz vergessen.

Meine Schwester war mit der ganzen Familie zu Besuch.

Aufgepasst!

von ganzem Herzen – от всего́ се́рдца
im Großen und Ganzen – в о́бщем
ganz gut/schlecht – дово́льно хорошо́/пло́хо

40 gegen

про́тив – gegen ein Ziel, eine Zielperson gerichtet
c – gegen eine Zielperson (z. B. im Sport)
о́коло – ungefähre Zeitangabe
от – Gegenmittel gegen eine Krankheit

Wer ist dagegen?

Wir treffen uns gegen 2 Uhr.

Sie spielt gegen ihren Bruder Tischtennis.

Ich brauche Medizin gegen Grippe.

Ich bin gegen den Vorschlag.

Aufgepasst!

gegen Abend – под ве́чер
gegen jmdn. gewinnen – вы́играть/выи́грывать у кого́-л.
gegen jmdn. verlieren – проигра́ть/прои́грывать кому́-л.
gegen Quittung – под распи́ску

gehen

идти́ – in nur einer Richtung
ходи́ть – nicht nur in einer Richtung oder als sich wiederholende oder gewohnheitsmäßige Handlung; als Fähigkeit

Er ging in der Stadt umher.

Wohin gehst du?

Die Briefe gehen sehr schnell.

Antje geht schon zur Schule.

Gehen Sie schneller, damit Sie den Zug nicht verpassen.

Aljoscha kann schon laufen (gehen).

Aufgepasst!

an die Arbeit gehen – приступа́ть/приступи́ть к рабо́те
Wie geht's? – Как дела́?

42 gern(e)

охо́тно – mit Freude
с удово́льствием – sehr gern, mit Vergnügen
люби́ть – gern haben, mögen, gern tun (in Verbindung mit Verben)
споко́йно – drückt Zustimmung des Sprechers aus

Antje hat Kinder gern.

Ich würde mir gern das Fußballspiel ansehen.

Was liest du gern?

Ins Kino? Sehr gern.

Das kannst du gern tun.

Aufgepasst!

Ich hätte gern eine Tasse Kaffee. – Я хоте́л/а бы ча́шку ко́фе.
Ich würde gern etwas essen. – Мне хоте́лось бы чего́-н. пое́сть.

Geschäft

магази́н – Laden
де́ло – Aufgabe, kaufmännische Tätigkeit
вы́года, би́знес – gewinnbringendes Geschäft
фи́рма – Unternehmen (auch: *предприя́тие*)
сде́лка – Abmachung

Wann öffnet/schließt dieses Geschäft?

Das ist ein schwieriges Geschäft.

Wer hat dieses Geschäft abgeschlossen?

Da haben Sie ein gutes Geschäft gemacht!

Geschäft ist Geschäft.

Darf ich Ihnen mein Geschäft zeigen?

Er versteht sein Geschäft.

Die Geschäfte gehen gut.

44 Glas

стекло́ – Material, Scheibe
стака́н – Trinkgefäß
бока́л – Weinglas, Sektglas, tulpenförmiges Bierglas
рю́мка – Schnapsglas (Gläschen: *рю́мочка*)
ба́нка – Konservenglas

Er bestellte zwei Glas Wein.

Mach das Glas mit der Warenje auf!

Die Tür ist aus Glas.

Bringen Sie mir bitte ein Glas Sekt!

Ich werde ein Glas Saft bestellen.

Darf ich Sie zu einem Gläschen Wodka einladen?

Aufgepasst!

Er hat zu tief ins Glas geschaut. – Он вы́пил ли́шнего.
sein Glas auf jmds. Wohl erheben – подня́ть/поднима́ть бока́л (рю́мку) за чьё-н. здоро́вье

grau

сéрый – grau (allg.)
седóй – Haare
по-/седéть – grau werden
пáсмурный – Himmel, Wetter

Großvater ist grau gewor-
den.

Sie hat graue Augen.

Was ist heute nur für ein
grauer Tag!

Siehst du den grauen
Wolf?

Aufgepasst!

Darüber lasse ich mir keine grauen Haare wachsen. – Об
э́том я не беспокóюсь./Из-за э́того я не расстрáи-
ваюсь.

46 ## groß – klein

Allgemein wird dieses Antonympaar durch die Wörter большо́й und ма́ленький ausgedrückt. Neben diesen Grundbedeutungen werden weiterhin unterschieden:

высо́кий – ни́зкий – an Höhe, Wuchs
кру́пный – ме́лкий – an Ausmaß, Bedeutung
вели́кий – ме́лкий – an Bedeutung
ста́рший – мла́дший – vom Alter her

Unsere große Familie wohnt in einem kleinen Dorf.

Unser Vater ist ein groß-gewachsener Mann.

Mein großer Bruder arbeitet in einem großen Werk und mein kleiner studiert.

An unserer Universität halten viele große Wissenschaftler des Landes Vorlesungen.

Sie spielt oft kleine Rollen in Komödien.

Aufgepasst!

großer Beifall – бу́рные аплодисме́нты
großer Hunger – си́льный го́лод
Das Kleid ist zu groß und die Schuhe sind zu klein. – Пла́тье велико́, а ту́фли малы́.

Größe

величина́ – Größe, Umfang
разме́р – Größe von Kleidungsstücken, Schuhgröße
пло́щадь – Flächengröße
рост – Körpergröße

Das ist ein Schiff mittlerer Größe.

Die Größe dieser Wohnung beträgt 50 m².

Haben Sie einen Anzug in meiner Größe?

Sie ist eine Frau von geringer Größe.

Zeigen Sie mir bitte eine andere Größe. Diese ist mir zu klein.

48

gut

хоро́ший, хорошо́ — gut, schön
до́брый — gut, gutherzig; in Gruß- und Wunschformeln

Meine Großmutter ist eine gute Frau.

Sie sind sehr gut zu mir.

Regina spricht gut Russisch.

Der Lehrer bewertet die Arbeit mit „gut".

Guten Morgen! Guten Abend!

Alles Gute!

Seien Sie so gut und helfen Sie mir.

Aufgepasst!

kein gutes Ende nehmen – ко́нчиться/конча́ться пло́хо
Das kleidet dich gut. – Э́то тебе́ о́чень идёт.
Guten Appetit! – Прия́тного аппети́та!
Gute Reise! – Счастли́вого пути́!
Schon gut (meinetwegen)! – Ла́дно!/Хорошо́!
Schon gut (ich habe es gerne getan)! – Не́ за что!
Schon gut (höre auf)! – По́лно!/Хва́тит!

halten

по-/держа́ть – jmdn./etw. (ein Tier) halten; Wort halten; mit Adj.

по-/счита́ть – jmdn./etw. für jmdn./etw. halten

соблюсти́/соблюда́ть – Abstand, Disziplin, Ordnung, Diät halten

останови́ться/остана́вливаться – (an)halten, stehenbleiben

Halte mir mal die Tasche!

Man muss die Verkehrsregeln streng einhalten.

Halten Sie hier einen Augenblick!

Brüderchen, du hältst das Messer falsch.

Ich halte ihn für einen wahren Freund.

Wer hält zu Hause einen Hund?

Haltet ihn (den Dieb)!

Aufgepasst!

eine Zeitung halten – вы́писать/выпи́сывать газе́ту
eine Vorlesung halten – про-/чита́ть ле́кцию
viel von jmdm./etw. halten – быть высо́кого мне́ния о ком-н./чём-н.

50 **heiraten**

жени́ться (на ком-л.) – heiraten (vom Mann aus)
вы́йти/выходи́ть за́муж (за кого́) – heiraten (von der Frau aus)
пожени́ться – einander heiraten
жена́т, за́мужем – verheiratet

Er hat des Geldes wegen geheiratet.

Er will mich heiraten.

Sie hat Viktor geheiratet.

Sie sind 10 Jahre verheiratet.

Sie war drei Jahre lang verheiratet.

Sie haben 1993 geheiratet.

Aufgepasst!

heiraten aus Liebe – жени́ться (выходи́ть/вы́йти за́муж; пожени́ться) по любви́

hören

у-/слы́шать – (mit dem Gehör) wahrnehmen; erfahren; Gehör haben
по-/слы́шаться – zu hören sein
по-/слу́шать – zuhören, hinhören, sich anhören; auf jmdn. hören, regelmäßig besuchen (Lehrveranstaltungen)
по-/слу́шаться – auf jmdn./etw. hören

Ich höre Sie schlecht, sprechen Sie lauter!

Sie hört gerne Radio.

Im Haus waren Schritte zu hören.

Russische Sprache der Gegenwart höre ich bei Professor Radtke.

Warum willst du nicht auf mich hören?

Ich habe gehört, dass du verheiratet bist.

Aufgepasst!

Lass mal von dir hören! – Не забыва́й, пиши́!
Na, hören Sie! – Ну, зна́ете!

52 ihr/e

вы – Personalpronomen der 2. Pers. *Pl.*

Ваш – Possessivpronomen der angesprochenen Person (Höflichkeitsform)

её – Possessivpronomen der 3. Pers. *Sg.*, bezieht sich auf eine „Besitz*erin*", die nicht Subjekt desselben Satzes ist

их – Possessivpronomen der 3. Pers. *Pl.*, bezieht sich auf mehrere „Besitzer" (meist Personen), die nicht Subjekt desselben Satzes sind

свой – Possessivpronomen der 3. Pers. Sg. oder Pl., zu verwenden, wenn der Besitzer Subjekt desselben Satzes ist

Wie ist Ihr Familienname?

Meine Schwester gab ihre (eigenen) Kassetten der Freundin.

Meine Schwester gab der Freundin ihre (deren) Kassetten zurück.

Nina und Tanja, wo wohnt ihr?

Sie wohnen mit ihren (leiblichen) Eltern im Zentrum der Stadt.

Was ist ihr/Ihr Hobby?

Aufgepasst!

Ihr gefällt die Stadt. – Ей (Dativ von она́) нра́вится э́тот го́род.

Stets ganz der/die Ihre (im Briefschluss) – Всегда́ Ваш/Ва́ша . . .

in/im

в, на – bei Orts- und Richtungs-, Monats- und Zeitangaben; Angabe der Art und Weise (nur: *в*)
че́рез – bei Angaben nach Ablauf eines Zeitraumes
по – bei Angaben eines Fachgebietes
во вре́мя – während

Lisa beendete die Schule im vergangenen Jahr.

Er strich das Zimmer in hellen Tönen (Farben).

Tanja arbeitet im Krankenhaus.

Warten Sie bitte, sie kommt in wenigen Minuten.

Heute schreiben wir eine Kontrollarbeit in Mathematik.

In der nächsten Woche beginnen die Ferien.

In den Ferien fahren wir in den Kaukasus.

Im Juli ist die Fußballweltmeisterschaft.

Aufgepasst!

Ich kann das in einer Stunde machen. – Я могу́ э́то сде́лать *за* час.

54 jeder

ка́ждый – jeder einzelne
вся́кий – jeder mögliche
любо́й – jeder beliebige

Jederzeit wird er ihnen helfen.

Das weiß jeder Schüler.

Sie hat jede Hoffnung verloren.

Mit jedem Tag wird es wärmer.

Aufgepasst!

für jeden Fall – на вся́кий слу́чай
jedem das Seine – ка́ждому/вся́кому своё
um jeden Preis – любо́й цено́й
ohne jeden Zweifel – без вся́кого сомне́ния
Jedes dritte Wort ist bei ihm falsch. – У него́ оши́бка на оши́бке.

jemand

кто́-нибудь – gleichgültig wer, irgendein beliebiger (auch: *кто́-либо*)

кто́-то – unbekannt wer

ко́е-кто – offengelassen wer

Jemand hat nach dir gefragt, ich kenne ihn aber nicht.

Frage doch jemand anders danach!

Ich habe mit jemandem über dich gesprochen, unwichtig mit wem.

Rufen Sie bitte so schnell wie möglich jemanden, denn alleine schaffe ich es nicht.

Jemand ist gekommen, aber ich habe ihn nicht gesehen.

Du wirst es nicht glauben, es wartet jemand auf dich.

Aufgepasst!

Ist hier jemand? – Есть тут кто?

ein gewisser jemand – не́кто

56 ## kämpfen

боро́ться – kämpfen, ringen (gegen: *с, про́тив*, für: *за*, im Sport auch: *соревнова́ться*)
срази́ться/сража́ться – kämpfen (mit der Waffe)
воева́ть – Krieg führen, kämpfen

Er kämpft/e um sein Recht.

Die Demonstranten kämpfen gegen den Krieg.

Du mußt gegen die Mängel (an)kämpfen.

Die Soldaten kämpften für ihre Heimat.

Unsere Mannschaft kämpfte um eine Medaille.

Sie wollen nicht kämpfen, sie wollen Frieden.

Aufgepasst!

auf Leben und Tod kämpfen – би́ться не на жизнь, а на смерть

Karte

откры́тка – Postkarte, Ansichtskarte (auch: *откры́тое письмо́, почто́вая ка́рта*)
биле́т (в/на что́-н.) – Eintrittskarte (für etw.), Fahrkarte
ка́рта – Landkarte, Stadtplan, Spielkarte
ка́рточка – Strafkarte im Sport, Karteikarte
меню́ (indekl.) – Speisekarte

Ich brauche eine Karte von Russland.

Der Schiedsrichter zeigte dem Stürmer die rote Karte.

Sie sitzen beim Kartenspiel.

Vielen Dank für Ihre Karte mit der Kremlansicht.

Herr Ober, bringen Sie uns bitte die Karte!

Hast du schon die Karten für die Oper gekauft?

Wir haben schon die Bahnkarten nach Moskau und zurück.

Aufgepasst!

Zeitkarte – проездно́й биле́т
Getränke-/Weinkarte – ка́рта напи́тков/вин
Lesekarte – чита́тельский биле́т
Paketkarte – бланк для посы́лки

58 Kinder

де́ти – Kinder (Nom. Sg. *ребёнок*)
ребя́та – Kinder (vertraut, zärtlich, umg.; Nom. Sg. *ребёнок*)

Die Kinder spielen Ball.

Sie hat schon erwachsene Kinder.

Kinder, gehen wir ins Stadion!

Das ist ein Film für Kinder unter sechs Jahren.

Aufgepasst!

Ребя́та wird in der Anrede auch (vertraut) für jüngere Erwachsene gebraucht.

kochen

с-/вари́ть – gar machen
про-/кипяти́ть – auf 100 Grad erhitzen
в-/кипе́ть – sich in Siedetemperatur befinden
при-/гото́вить – Speisen zubereiten

Das Wasser kocht schon.

Mutter kocht bei uns das Mittagessen.

Die Suppe kocht.

Die Suppe muß nicht gekocht, sondern nur aufgewärmt werden.

Meine Schwester hat uns eine schmackhafte Kartoffelsuppe gekocht.

Der Reis wird gekocht, bis er weich ist.

Aufgepasst!

ein Ei weich kochen – свари́ть/вари́ть яйцо́ всмя́тку

60 **(nicht) können**

с-/уме́ть – не с-/уме́ть + *Inf.* – zu etwas (nicht) fähig sein, in der Lage sein

с-/мочь – не с-/мочь + *Inf.* – (nicht) die Möglichkeit haben, etwas zu tun (persönl. gebraucht)

мо́жно + *(v.) Inf.* – die Möglichkeit, Fähigkeit, Erlaubnis haben, etwas zu tun (unpersönl. gebraucht, diese nicht haben; auch: *возмо́жно – невозмо́жно*)

нельзя́ + *(v.) Inf.* – Verbot; nicht die Möglichkeit haben

Wo kann man Kassetten kaufen?

Kannst du denn Gitarre spielen?

Kann man dieses Buch bestellen?

Ich kann Ihnen nichts versprechen.

Er kann nicht schwimmen.

Das kann wohl sein.

Rima, Sie können hier warten.

Sie können nicht umhin, ihn einzuladen.

Aufgepasst!

Die Fähigkeit, sich in nur einer bestimmten Weise fortzubewegen, kann auch ohne *уме́ть* nur durch das entsprechende unbestimmte Verb (z. B. *ходи́ть, е́здить, пла́вать*) ausgedrückt werden.

Russisch können – *знать ру́сский язы́к*

Land

страна́ – Staat
земля́ – Boden, Grundbesitz, Verwaltungsgebiet innerhalb eines Staates, Festland
дере́вня – ländliche Gegend
бе́рег – Ufer

Mein Vater besitzt 5 Hektar Land.

Er schwimmt an Land.

Zu Deutschland gehören 16 Länder.

Wir erholen uns auf dem Lande.

Land in Sicht!

Luxemburg ist ein kleines Land.

Aufgepasst!

Festland – су́ша

62 **lange**

до́лго – über einen langen Zeitraum
давно́ – längst, seit langem
далеко́ – bei weitem
подро́бно – ausführlich, eingehend

Hier ist es lange nicht so schön wie zu Hause.

Wie lange soll ich noch warten?

Wir wohnen schon lange in dieser Stadt.

Das ist lange her.

Sie erzählten lange über ihre Reise.

Bleib nicht zu lange!

Aufgepasst!

Was lange währt, wird gut. – Ти́ше е́дешь, да́льше бу́дешь.

laufen

бежáть – in nur einer Richtung
бéгать – nicht nur in einer Richtung oder als sich wiederholende oder gewohnheitsmäßige Handlung; als Fähigkeit

Die Kinder laufen auf dem Hof umher.

Wie schnell läufst du die 100 m?

Ira kann schnell laufen.

Wohin läuft er?

Aufgepasst!

Ski laufen – *ходúть* на лы́жах
Rollschuh/Schlittschuh laufen – *катáться* на рóликах/коньках
Sie kann schon laufen. – Онá ужé *хóдит*.
Das Tonband läuft. – Магнитофóн *рабóтает*.
Der Hauptfilm läuft schon. – Фильм ужé *идёт*.

64 Läufer

бегу́н – Leichtathlet (Läuferin: *бегу́нья*)
полузащи́тник – Fußballer
слон – Schachfigur
доро́жка – langer, schmaler Teppich

Wie gefällt dir mein neuer Läufer im Schlafzimmer?

Pass auf, er schlägt deinen Läufer!

Der Läufer erzielte ein Kopfballtor.

Wer von euch ist der schnellste Läufer über 100 Meter?

Aufgepasst!

Skiläufer/in – лы́жник/лы́жница
Schlittschuhläufer/in – конькобе́жец/конькобе́жка
Eiskunstläufer/in – фигури́ст/ка

laut

гро́мкий – weit hörbar
вслух – hörbar
шу́мный – lärmerfüllt
согла́сно – laut (Präposition), in Übereinstimmung mit

Lies laut!

Sprechen Sie laut, ich höre schlecht.

Im Saal war es laut.

Die laute Musik stört mich beim Arbeiten.

Laut Fahrplan kommen wir um 9 Uhr in Berlin an.

66 lehren

на-/учи́ть – jmdm. etw. beibringen, jmdn. unterweisen
обучи́ть/-а́ть – unterrichten, ausbilden, anlernen, jmdm. etw. beibringen
преподава́ть – unterrichten

Er lehrt Russisch an einem Institut.

Wer hat dich das gelehrt?

Sie will ihre Kinder Englisch lehren.

Die Mutter lehrte uns, bescheiden zu sein.

Aufgepasst!

Durch Lehren lernt man. – Обуча́я, мы у́чимся са́ми.

leiten

67

руководи́ть – leiten (allgemein)
управля́ть – Betrieb leiten
заве́довать (чем-н.) – Institution, Abteilung leiten
возгла́вить/возглавля́ть – Delegation, Expedition leiten
вести́ – Versammlung, Diskussion, Verhandlung leiten

Der Außenminister leitet die russische Delegation.

Mein Vater leitet ein Werk.

Der Musiklehrer leitet den Chor.

Warum will er die Versammlung nicht leiten?

Ich leite die Geschäftsstelle.

Aufgepasst!

Kupfer leitet gut Elektrizität und Wärme. – Медь хорошо́ прово́дит электри́чество и тепло́.

68 Leiter/in

руководи́тель/-ница – der Leiter/die Leiterin (allg.)
заве́дующий/-щая (че́м-н.) – Leiter/in, Geschäftsführer/in
дире́ктор – Schulleiter/in, Leiter/in eines Krankenhauses
ле́стница – die Leiter, Treppe

Stell die Leiter an den Baum!

Wer ist euer Klassenleiter?

Iwan Petrowitsch ist der Leiter des Gymnasiums.

Ich möchte den Leiter/die Leiterin des Unternehmens sprechen.

Aufgepasst!

Tonleiter – га́мма
elektrischer Leiter – электри́ческий про́вод

lernen

на-/учи́ться – lernen, studieren
вы́-/учи́ть – etw. auswendig lernen
изучи́ть/изуча́ть – Fach erlernen, etw. wissenschaftlich durcharbeiten

Aus Fehlern lernt man.

Sie lernt drei Fremdsprachen.

Ich lerne in der 10. Klasse.

Lernt das Gedicht auswendig!

Viktor lernt Verkäufer.

Aufgepasst!

Was Hänschen nicht lernt, lernt Hans nimmermehr. – Чему́ Ва́нька не научи́лся, того́ Ива́н Ива́нович не бу́дет знать.

70 Mädchen

де́вочка – Kind
де́вушка – Jugendliche, Anrede „Fräulein!"

Mädchen spielen gerne mit Puppen.

Das Mädchen hat braune Augen.

Dieses Mädchen ist Studentin im ersten Studienjahr.

Nina ist ein Mädchen von 7 Jahren.

Carmen ist ein hübsches Mädchen in der Blüte ihrer Jahre.

Aufgepasst!

Hausmädchen – домрабо́тница, прислу́га

man

Verb in der 3. Pers. Pl. – in unbest.-persönl. Sätzen ohne Subjekt
Verb in der 2. Pers. Sg. oder Pl. – in Sätzen ohne Personalpronomen

мо́жно – man kann/darf
ну́жно/на́до – man muss
нельзя́ – man kann/darf nicht
(не)возмо́жно – man kann (nicht)
ви́дно, слы́шно – man kann sehen, hören

Man kann nicht alles besichtigen.

Von hier aus kann man gut sehen/hören.

Fremde trifft man dort selten.

Darf man eintreten? – Bitte!

Man schämt sich, wenn man das sieht.

Hier darf man die Straße nicht überqueren.

Man muss regelmäßig trainieren.

Hier spricht man Deutsch.

Aufgepasst!

Wie schreibt man dieses Wort? – Как пи́шется э́то сло́во?
Man nehme . . . (in Rezepten) – Возьми́те . . .

72 # Mann

мужчи́на – Mann
муж – Ehemann
челове́к – nach Zahlwörtern, junger Mann, Mann von Charakter

Junger Mann, wie komme ich von hier zur Post?

Gestatten Sie, dass ich Sie mit meinem Mann bekannt- mache.

Mein Mann ist Ingenieur.

Das ist typisch Mann.

Er ist ein Mann der Tat.

Lass uns darüber von Mann zu Mann sprechen.

Fünf Mann arbeiten in der Abteilung.

Aufgepasst!

alter Mann – стари́к
ein Mann der Öffentlichkeit – обще́ственный де́ятель
ein Mann der Praxis – пра́ктик
Selbst ist der Mann. – Учи́сь де́лать сам./Челове́к сам себе́ хозя́ин.

meinen

по-/счита́ть – glauben, es für wahrscheinlich halten
по-/ду́мать – denken
положи́ть/полага́ть – annehmen
быть того́ мне́ния – der Ansicht sein
име́ть в виду́ – (jmdn./etw.) im Auge haben

Ich meine, dass er recht hat.

Was meinst du?

Ich meine, sie sagt die Wahrheit.

Wen meinen Sie?

Meinen Sie?

Aufgepasst!

meiner Meinung nach – по мо́ему (мне́нию), по-мо́ему
Was meinen Sie zu einer Tasse Kaffee? – Как насчёт ча́шки ко́фе?

74 mit

c – zusammen mit
на – mit einem Beförderungsmittel (auch: *по*)
в, на – bei Altersangaben, Zahl der Stockwerke, Sitzplätze
Instr. – mit (Hilfe von), bei Flächen- und Gewichtsangaben

Er wohnt mit seinem Bruder in einem Zimmer.

Das ist ein Zimmer mit den Abmessungen 5 x 6 Meter.

Mit 19 Jahren wurde ich Soldat.

Mit wem gehst du zur Disko?

Wir brauchen einen Zuschauerraum mit 1000 Plätzen.

Heute fahre ich mit dem Bus nach Hause.

Aufgepasst!

jmd. mit Namen Müller – кто́-то по фами́лии Мюллер
jmd. mit Brille – кто́-то в очка́х
der Spieler mit der Drei – игро́к под но́мером три

mögen/möchten

по-/люби́ть (есть) – jmdn. leiden mögen, etw. (essen) mögen

(не) хоте́ть (oft mit Konjunktiv) – wollen, wünschen

по-/жела́ть – wünschen

пусть (umg. *пуска́й*) – als Begehren oft in Aufforderungen

с-/мочь (oft mit Konjunktiv) – bei Ungewissheit in Fragen

предпоче́сть/предпочита́ть – etw. lieber mögen, vorziehen

Ich möchte mich beschweren.

Ich möchte gern ein Zimmer mit Bad.

Ich mag keinen Likör.

Was mögen Sie lieber, Kaffee oder Tee?

Wer mag das sein?

Ich mag nicht mehr.

Sie mögen sich.

Ich möchte ihn gern kennenlernen.

Wen möchten Sie sprechen?

Er mag sehen, wie er fertig wird!

Aufgepasst!

Zu wem möchten Sie? – Вам кого́?

Möchten Sie noch etwas Kaffee? – Вам ещё ко́фе?

76 müssen

нýжно/нáдо – man muss, es ist (objektiv) notwendig
дóлжен – müssen, sollen, moralisch verpflichtet sein
необходúмо – man muss, es ist (unbedingt) notwendig
слéдует – sich gehören (auf Grund herrschender Sitten)
прихóдится – gezwungen sein
не мóжет не – nicht umhinkönnen

Ich muss mit Ihnen reden.

Sie müssen sich unbedingt erholen.

Du hättest deinem Bruder (eigentlich) helfen müssen.

Als ich das hörte, musste ich lachen.

Das muss man gesehen haben.

Ein Schüler muss gut lernen.

Sie müssen leider warten.

Ich muss alles selbst machen!

Aufgepasst!

Ich muss hier aussteigen. – Мне здесь выходúть.
Darüber muss man sich freuen. – Этому нельзя́ не ра́доваться.

nach

в – Zielort, Ländernamen
на – Himmelsrichtung, Inselnamen
по́сле – nachfolgender Zeitpunkt, Zeitraum
че́рез/спустя́ – nach Ablauf eines Zeitraumes
по – nachfolgender Zeitpunkt (vor subst. Verben), Art und Weise
за – Zweck, Reihenfolge

Er schickt seinen Sohn nach einem Arzt.

Der Arzt kam nach einer Stunde.

Wir werden nach einem Monat zurück(-gekehrt) sein.

Sie liest ein Buch nach dem anderen.

Fliegen Sie nach Russland? Ja, nach Moskau.

Nach dem Unterricht muss man sich erholen.

Nach Beendigung des Gymnasiums trat ich in die Universität ein.

Das Flugzeug fliegt nach Norden.

Im Sommer fahren wir nach Rügen.

Aufgepasst!

nach und nach – постепе́нно, ма́ло-пома́лу
nach wie vor – по-пре́жнему
der Reihe nach – по поря́дку
nach etw. fragen – спроси́ть/спра́шивать о чём-л.

78 **passen**

подойти́/подходи́ть – zu jmdm./etw. passen, jmdm. recht sein
быть как раз – gut sitzen (Größe)
с-/пасова́ть – zuspielen; sich geschlagen geben; beim Kartenspiel

Das passt nicht hierher.

Der Mantel passt mir.

Die Schuhe passen zum Anzug.

Bei der zweiten Frage musste er passen.

Passt es dir heute nachmittag um drei?

Passe den Ball zu Viktor!

Aufgepasst!

Wenn es Ihnen passt, . . . – Е́сли э́то Вас устро́ит, . . .
Passt es Ihnen? – Уго́дно ли Вам?
Das passt mir nicht (ich bin dagegen). – Э́то мне не нра́вится.

Platz

ме́сто – Platz (allg.), Sitzplatz, Arbeitsplatz, Raum
пло́щадь – umbaute Fläche, öffentlicher Platz
площа́дка – Sportplatz, Spielplatz

Der Artikel nimmt viel Platz ein.

Wie gefällt dir unser neuer Volleyballplatz?

Bei diesen Wettkämpfen belegte unsere Mannschaft den 1. Platz.

Wie komme ich zum Puschkinplatz?

Im Garten ist ein Kinderspielplatz.

Keine Plätze frei!

Aufgepasst!

Nehmen Sie bitte Platz! – Сади́тесь, пожа́луйста.
Behalten Sie bitte Platz! – Сиди́те, пожа́луйста.
Platzkarte/Platzkartenwagen – плацка́рта/плацка́ртный
ваго́н.

80 Preis

цена́ – Geldwert, Preis einer Ware
приз – Siegerpreis, Belohnung
пре́мия – Prämie, Auszeichnung, Versicherungsgebühr

Die Lebensmittelpreise steigen.

Dieser Wissenschaftler bekam den Nobelpreis für Physik.

Meine Schwester erhielt einen Preis im Pianistenwettbewerb.

Seine Arbeit ist mit einem Preis ausgezeichnet worden.

Aufgepasst!

Wie hoch ist der Preis? – Ско́лько э́то сто́ит?
Um keinen Preis! – Ни за что (на све́те)! Ни в ко́ем слу́чае!
Ohne Fleiß kein Preis. – Без труда́ не вы́нешь (и) ры́бку из пруда́.

Sache

вещь – Sache, Ding, Gegenstand
де́ло – Sache, Angelegenheit, Geschäft, Aktenstück

Was ist Sache (los)?

Ich möchte diese Sachen als Reisegepäck aufgeben.

Sind das Ihre Sachen? Geben Sie bitte auf Ihre Sachen acht.

Es steht gut um die Sache.

Aufgepasst!

mit 100 Sachen (umg.) – со ско́ростью ста киломе́тров в час
Das ist ja eben die Sache! – Вопро́с и́менно в э́том!/ В том то и де́ло!

82 Satz

предложёние – sprachliche Einheit (auch: *фрáза*)
комплéкт – vollständiger Satz zusammengehöriger Dinge
сéрия – Satz Briefmarken (auch: *нaбóp*)
часть – Satz einer Symphonie
пáртия – beim Volleyball, Tischtennis
сет – beim Tennis

Ich bin Briefmarkensammler. Geben Sie mir diesen Satz.

Ich habe den letzten Satz nicht verstanden. Wiederholen Sie ihn bitte.

Wie gefällt Ihnen der 2. Satz der 5. Symphonie von Tschajkowski?

Hat unsere Volleyballmannschaft den ersten Satz gewonnen?

Steffi Graf schlug ihre Gegnerin in zwei Sätzen.

Wo haben Sie diesen Satz Messer gekauft?

Aufgepasst!

Zinssatz – процéнтная стáвка
Lehrsatz – тéзис
weiter Satz – ширóкий прыжóк

schnell

бы́стрый – schnell (allg.), rasch, flink
ско́рый – schnell (außer Personen, Tiere), sofort, umgehend
ре́зкий – plötzlich, jäh

Bitte zwei Karten für den Schnellzug nach Köln.

Die Zeit ist sehr schnell vergangen.

Rufen Sie bitte so schnell wie möglich einen Arzt!

Das Wetter hat sich schnell verändert.

Aufgepasst!

Nun aber schnell! – Быстре́е, быстре́е!
Der Puls geht schnell. – Пульс бьётся ча́сто.

84 **schon**

уже́ – schon, bereits
ещё – bei relativer Zeit- und Ortsangabe
же – verstärkend in Fragesätzen; endlich, doch
уж – in Bedingungssätzen; endlich, doch; einräumend

Jetzt geht es schon.

Du bist schon erwachsen.

Sie sind schon vor einer Woche weggefahren.

Sie ist schon 40.

Was willst du schon wieder?

Erzähl' schon, was los war!

Wo wohnt er schon?

Aufgepasst!

Schon gut! – (Ну,) Хорошо́! Ла́дно!

schwierig – schwer

тру́дный, тру́дно – mit Schwierigkeiten verbunden, mühsam

сло́жный, сло́жно – kompliziert

неприя́тный – unangenehm

тяжёлый, тяжело́ – schwer an Gewicht, schwer zu behandeln, unverträglich

Er hat die schwierige Aufgabe gut gelöst.

Er ist ein Mensch mit schwierigem Charakter.

Es fällt mir schwer, das zu glauben.

Sie fürchtet sich vor dem schwierigen Gespräch.

Seine Krankheit ist schwer.

Das Ruhrgebiet ist ein Zentrum der Schwerindustrie.

Aufgepasst!

eine schwierige (heikle) Frage – щекотли́вый вопро́с
ein schwerer Fehler – гру́бая оши́бка

86 **sehen**

у-/ви́деть – wahrnehmen, erblicken, verstehen
по-/смотре́ть – schauen, jmdn./etw. betrachten, ansehen

Ich freue mich, Sie zu sehen.

Hast du gestern den Film „Anna Karenina" im Fernsehen gesehen?

Mit der Brille sieht er gut.

Sieh nach links und rechts, bevor du über die Straße gehst!

Sie sieht aus dem Fenster.

Siehst du nun, dass ich recht hatte?

Gestern gingen wir die neue Wohnung ansehen.

Werde ich Sie heute abend sehen?

Aufgepasst!

sich sehen lassen – пока́зываться
Das sieht ihm ähnlich! – Э́то на него́ похо́же!

sein(e)

eró – Possessivpronomen der 3. Pers. Sg., bezieht sich auf einen Besitzer, der <u>nicht</u> Subjekt <u>desselben</u> Satzes ist

свой – Possessivpronomen der 3. Pers. Sg., wird verwendet, wenn der Besitzer <u>Subjekt desselben Satzes</u> ist

Wie ist sein Vorname?

Mein Bruder gab seine (eigenen) Kassetten dem Freund.

Mein Bruder gab dem Freund seine (dessen) Kassetten zurück.

Grischa wohnt in Moskau. Seine Eltern arbeiten im Kaufhaus.

Aufgepasst!

jedem das Seine – ка́ждому своё

88 stark

си́льный – physisch, charakterlich; leistungsfähig, Hunger, Durst, Gefühl, Schmerzen, Wunsch, Frost, Regen (Adv.: *си́льно*)

кре́пкий – Getränk, Genussmittel; Nerven; Glaube; Händedruck; Material

по́лный – dick, beleibt (auch: *то́лстый*)

Er ist ein starker Schach-spieler.

Hier gibt es Kleidung für stärkere Damen.

Sie hat einen starken Glauben.

Mein Vater raucht stark.

Draußen regnet es stark.

Bringe uns bitte einen starken Tee.

Aufgepasst!

starkes Fieber – высо́кая температу́ра
starkes Interesse – большо́й интере́с
starker Tobak – гру́бость, на́глость

trotzdem

несмотря́ на э́то/всё-таки, всё же – dennoch
несмотря́ на то, что – obgleich, obwohl (auch: *хотя́*)

Er hat trotzdem zuge-
stimmt.

Der Arzt hat ihm das Rau-
chen verboten, trotzdem
raucht er.

Er rauchte, trotzdem der
Arzt es ihm verboten hatte.

Und trotzdem war es schön
hier.

Sie fragte mich trotzdem
danach.

90

über

о – Angabe eines Redegegenstandes, verweist auf Inhalt von etw.

над – räumlich (Ortsangaben), oberhalb von Personen und Sachen

чéрез – über Zeitraum hinaus (bei vollem Umfang: *на*), zielgerichtetes Überqueren; Vermittler; technisches Gerät (auch: *по*)

Ich habe das Haus über einen Makler gekauft.

Er sitzt über den Büchern.

Was denken Sie über ihn?

Hier ist ein Buch über Malerei.

Sie müssen über die Brücke gehen.

Wer wohnt über uns?

Aufgepasst!

etw. ist jmdm. über — что-н. надоéло комý-н.

Gesundheit geht über Reichtum. — Здорóвье дорóже богáтства.

und

и – vor dem letzten Glied einer Aufzählung, bei aufeinan-
derfolgenden oder gleichzeitig verlaufenden Handlungen

а – drückt gegenüber *и* zugleich einen leichten Gegensatz
aus

с – in Wendungen mit *Personenbezeichnung + ich*

плюс – in Additionsaufgaben

Das Zimmer war groß und
hell.

Für diese Arbeit braucht
man zwei Tage und nicht
zwei Wochen.

Sie lachte und weinte zu-
gleich.

Mein Bruder und ich spie-
len oft Schach.

Wieviel ist 9 und 7?

Aufgepasst!

Sätze und Fragen mit „und" am Anfang werden meistens
mit „A ..." eingeleitet.

und zwar ... – *а и́менно*
und andererseits ... – *а с друго́й стороны́*
und obwohl ... – *и хотя́*

92 ## ungefähr

приблизи́тельно/приме́рно – annähernd, etwa
неясно/нечётко – ungenau, ungefähr (adv. auch: *приме́рно*)
о́коло – bei Zahlen- und Zeitangaben (z. B. Uhrzeit)
unübersetzt – nur durch Nachstellen der Zahlenangabe (Weite, Umfang, Gewicht u. ä.)

Wann wirst du ungefähr kommen?

Ich komme in ungefähr zehn Minuten.

Ich komme ungefähr um 3 Uhr.

Es war vor ungefähr zehn Jahren.

So ungefähr habe ich mir das gedacht.

Er hat sich ein ungefähres Bild davon gemacht.

Aufgepasst!

nicht von ungefähr – не случа́йно

untersuchen

осмотре́ть/осма́тривать – durch den Arzt, durch die Polizei, zwecks Kontrolle (z. B. Zoll)
иссле́довать – wissenschaftlich erforschen
рассле́довать – eine Sache juristisch verfolgen

Der Wissenschaftler untersucht die Struktur der russischen Gegenwartssprache.

Auf dem Flughafen wird das Handgepäck untersucht.

Wer untersucht den Fall?

Der Arzt untersucht die Wunde/den Patienten.

verabschieden

прости́ться/проща́ться – von Gästen (pf. auch: *попро-щá́ться*)
уво́лить/увольня́ть в отста́вку – in den Ruhestand
приня́ть/принима́ть – bestätigen, sanktionieren

Ich habe mich schon von allen verabschiedet.

Gestatten Sie mir, mich zu verabschieden.

Der Offizier wurde in den Ruhestand verabschiedet.

Das Parlament verabschiedete das neue Gesetz.

Wir haben die Gäste auf dem Bahnhof verabschiedet.

Sie gingen, ohne sich zu verabschieden.

Abschiedsformeln zu unterschiedlichen Gelegenheiten
Auf Wiedersehen! – До свида́ния.
Bis morgen (bald)! – До за́втра (ско́рого)!
Tschüs!/Servus! – Пока́!/До встре́чи! (ungezwungen)
Gute Nacht! Angenehme Nachtruhe! – Споко́йной/До́брой но́чи!
Einen angenehmen Abend! – Жела́ю прия́тно провести́ ве́чер!
Grüß bitte zu Hause! – Переда́й приве́т свои́м/дома́шним!
Gute Reise! – Счастли́вого пути́!

verstehen

v-/слы́шать – hören, vernehmen

поня́ть/понима́ть – den Sinn verstehen, begreifen, erfas-
en, auskommen mit jmdm.

с-/уме́ть – gelernt haben, sich auskennen

подразумева́ть – verstehen unter, von (auch: име́ть в
виду́)

Hast du verstanden?

Sie versteht gut Russisch.

Ich habe es getan, so gut
ich es verstand.

Was versteht man darun-
ter?

Ich verstehe Ihre Frage
nicht.

Ich konnte von meinem Platz
aus alles gut verstehen.

Aufgepasst!

Das versteht sich von selbst. – Э́то само́ собо́й разу-
ме́ется.

Der Preis versteht sich netto (in Mark). – Цена́ ука́зана за
не́тто (в ма́рках).

96 **von**

из, от, с – räumlich
с, от – zeitlich
из – Teil eines Ganzen, aus einer Anzahl
о – über (Redegegenstand)
от – „von . . . aus" in Wendungen

Er nahm von den angebotenen Büchern nur eins.

Ich gratuliere Dir von ganzem Herzen.

Sie nahm die Teller vom Tisch.

Hier habe ich einen Brief vom 6. April.

Von wem sprecht ihr?

Gehe weg von mir!

Aufgepasst!

ein Gedicht von Schiller – стихотворéние Шиллера
sich von seiner Frau scheiden lassen – развестись/разводиться с женóй
Er ist von Adel. – Он дворянского происхождéния.
Herr von Buckowitz – господин фон Буковиц
von jetzt ab – с настоящего врéмени
von Jugend auf – с юношеских лет
vom 1. September an – начиная с пéрвого сентября
von oben bis unten – свéрху дóнизу

vor

пе́ред – bei Ortsangabe (mit Instr.) oder Richtungsangaben (mit Akk.); Zeitpunkt; auch in übertragener Bed.
до – bis an einen Zeitpunkt heran (mit Gen.)
(тому́) наза́д – verweist auf Zeitraum, um den etw. zurückliegt

Das Fußballspiel war genau vor einer Woche.

Er soll vor Gericht aussagen.

Wir trafen uns vor dem Beginn des Unterrichts.

Sie setzten sich vor dem Haus hin.

Er blieb vor der Tür stehen.

Das war vor unserem Treffen.

Aufgepasst!

fünf vor sieben (Uhr) – без пяти́ семь

98 wählen

вы́брать/выбира́ть – aussuchen
избра́ть/избира́ть – stimmen für jmd.
набра́ть/набира́ть – Telefonnummer wählen

Viktor wurde zum Vorsitzenden gewählt.

Wählen Sie diese Nummer!

Sie wird für 2 Jahre gewählt.

Nina wählte ein Fischgericht auf der Speisekarte.

Es fällt ihm immer schwer, ein passendes Geschenk für seine Frau zu wählen.

während

во врéмя – Angabe eines Zeitraumes (mit Gen., Präposition)

в то врéмя как – währenddessen, signalisiert Gleichzeitigkeit der Handlung (Konjunktion, auch: *покá*)

мéжду тем как – verweist auf Gegensatz (Konjunktion)

Er blieb im Dorf, während sein Bruder in die Stadt zog.

Während ich beim Kranken blieb, holte er den Arzt.

Während meines Aufenthalts in Berlin besuchte ich den Fernsehturm.

Während ich mich abmühe, geht er bloß seinem Vergnügen nach.

100 **waschen**

по-/стира́ть – Wäsche
по-/мы́ть – Körperteil, Gegenstand
по-/мы́ться – sich waschen

Das Kind wäscht sich.

Hast du dir die Hände schon gewaschen?

Ich möchte mich gern ein wenig waschen.

Der Stoff lässt sich gut waschen.

Ich wasche mich jeden Morgen mit kaltem Wasser.

Eine Hand wäscht die andere.

Aufgepasst!

Мы́ться ist eine reflexive Form, so dass davon kein Passiv auf *-ся* gebildet werden kann.

Das Kind wird von der Mutter gewaschen. – Мать мо́ет ребёнка.

seine schmutzige Wäsche vor allen Leuten waschen – выноси́ть сор из и́збы

Ich wasche meine Hände in Unschuld. – Я тут ни при чём.

weil

потому́ что – nur bei vorangestelltem Hauptsatz, bei Antwort auf Fragen (auch: *поско́льку*)

так как – bei nach- und vorangestelltem Hauptsatz (nur nachgestellt auch: *из за того́, что*)

Wir blieben zu Hause, weil es regnete.

Weil es regnete, blieben wir zu Hause.

Warum bist du gestern nicht gekommen? Weil ich keine Zeit hatte.

102 **welcher**

какóй – welcher, was für ein (Fragepron., nur präd.:
каков)

котóрый – welcher (Relativpron.; welches [auch] immer:
какóй бы . . . ни)

какóй-то/-нибудь, кóе-какóй – irgendein, irgendetwas
(Indefinitpron.)

Indefinitpronomen weisen in allgemeiner Form auf die
wirkliche oder mögliche Existenz von Personen, Sachen
oder Eigenschaften mit folgenden Bedeutungsnuancen hin:
mit *какóй-то* – unbekannt, welcher; *какóй-нибудь* –
gleichgültig, welcher; *кóе-какóй* – offengelassen, welcher.

Welche Bluse ziehst du an?

Welches Kleid sie auch anzieht, sie sieht immer hübsch aus.

Haben sie mir die Bücher zurückgebracht? Ja, jedenfalls haben sie welche dagelassen.

Das ist der Mann, welcher das Paket gebracht hat.

In welchem Jahr ist Lew Tolstoj geboren?

wenn

е́сли (бы) – leitet Konditionalsatz ein
когда́ – leitet Temporalsatz ein
лишь бы – leitet einen Wunschsatz ein (auch: *хоть бы*)
хотя́ – wenn auch (gleich, schon)

Wenn ich ihn morgen sehe, spreche ich mit ihm.

Wenn ich mich nicht täusche, habe ich ihn gestern noch gesehen.

Wenn er auch mein Freund ist, hier kann ich ihn nicht unterstützen.

Wenn es Frühling wird, werden die Bäume grün.

Selbst wenn ich wüsste, du hilfst mir, würde ich es nicht tun.

Wenn er doch käme!

Aufgepasst!

Wenn ich das wüsste! – Е́сли б я зна́л/а!

104 Werk

завóд, фáбрика, предприя́тие – Betrieb
произведéние – geistiges, künstlerisches Produkt (auch:
труд)
дéло – Tat, Tätigkeit
твóрчество – (Gesamt-)Schaffen

Das war das Werk weniger Augenblicke.

Er arbeitet im Werk als Schlosser.

Kennen Sie das berühmteste (Kunst-)Werk von Gogol?

Er hat viele wissenschaftliche Werke veröffentlicht.

Hier sehen Sie das Ergebnis seines künstlerischen Schaffens.

Das ist das Werk seiner Hände.

wollen

хоте́ть – etw. zu tun beabsichtigen
собра́ться/собира́ться – sich anschicken, etw. zu tun trachten
дава́й/те – als Aufforderung

Wohin wollen Sie?

Was willst du einmal werden?

Was willst du?

Wollen wir tanzen?

Das habe ich nicht gewollt.

Was wollt ihr morgen machen?

Aufgepasst!

Wollen Sie geweckt werden? – Жела́ете, чтобы я Вас разбуди́л/а?
Das will nichts heißen. – Э́то ничего́ не зна́чит.

106 Zimmer

нómер – im Hotel
кóмната – in der Wohnung
палáта – im Krankenhaus
кабинéт – Arbeitszimmer

Wieviel Zimmer hat Ihre Wohnung?

Das Zimmer des Direktors befindet sich in der zweiten Etage.

Haben Sie ein Zimmer frei?

In welchem Zimmer liegt Herr Pawlow?

Was kostet das Zimmer pro Tag?

Geben Sie mir bitte meinen Zimmerschlüssel. Nummer 10.

Aufgepasst!

Dreizimmerwohnung – трёхкомнатная квартúра

zwei

два/две – Ziffer, Zahl (m, s/w)

двóе – in der Verbindung mit Pluralsubstantiven

двóйка – in Russland zweitschlechteste Zensur, mit der eine Prüfung nicht bestanden ist, umg. auch für Straßenbahn, Bus u. ä.

вторóй – Nummer bei der Straßenbahn, Bus u. ä.

двáжды – zwei als Faktor in Multiplikationsaufgaben

Ich habe zwei Brüder und zwei Schwestern.

Meine ältere Schwester hat zwei Kinder.

Zwei Fenster gehen auf die Straße raus.

Die Lehrerin gab Irina eine Zwei.

Dort kommt der Bus Nummer 2!

Er besucht einen Zweijahreslehrgang.

Der Lehrer empfahl ein zweibändiges Wörterbuch.

Zweimal zwei ist vier.

Aufgepasst!

Zweibettzimmer – нóмер на двойх (im Krankenhaus: палáта)

Vier Augen sehen mehr als zwei. – Ум хорошó, а два лýчше.

Vorsicht, nicht verwechseln!

| Zeichenerklärung: | ≠ | entspricht nicht |
| | ↓ | bedeutet |

Abonnement	≠	*абонеме́нт*
↓		↓
подпи́ска		Ausgabestelle einer Bücherei

Abonnent	≠	*абоне́нт*
↓		↓
подпи́счик		Bibliotheksbenutzer, Telefonanschluss

Anschlag	≠	*аншла́г*
↓		↓
афи́ша, объявле́ние		Aushang an Theaterkassen
покуше́ние на		
кого́-н. (auf Pers.)		
посяга́тельство на что-н.		
(auf Objekte)		

Attest	≠	*аттеста́т*
↓		↓
свиде́тельство,		Abschlusszeugnis,
удостовере́ние,		Verleihungsurkunde
(медици́нская)		
спра́вка		

Band	≠	*бант*
↓		↓
том (Buch), *ле́нта,*		Schleife
верёвка		

Butterbrot	≠	*бутербро́д*
↓		↓
бутербро́д с ма́слом		Scheibe Brot/Brötchen mit
сы́ром/колбасо́й		Belag <u>ohne</u> Butter

Büfett	≠	буфе́т
↓		↓
холо́дные заку́ски		Ausschankstelle, Imbissstube
буфе́т (Schrank)		

Diplomand	≠	дипломáнт
↓		↓
дипло́мник (umg.)		Preisträger

Dramaturg	≠	драматýрг
↓		↓
заве́дующий репер-		Dramatiker, Bühnenautor
туáром (Theater),		
реда́ктор сцена́рия		
(Film)		

Familie	≠	фами́лия
↓		↓
семья́, семе́йство		Familienname

Gastronom	≠	гастроно́м
↓		↓
кулина́р, официа́нт		Lebensmittel-, Delikatessen-geschäft; Feinschmecker

Halstuch	≠	га́лстук
↓		↓
косы́нка, плато́к		Krawatte, Schlips

Kammerton	≠	камерто́н
↓		↓
основно́й тон; „ля“		Stimmgabel
пе́рвой окта́вы		

Keks	≠	кекс
↓		↓
пече́нье, бискви́т		Rühr-, Rosinenkuchen

Konkurs	≠	*ко́нкурс*
↓		↓
банкро́тство, непла-тёжеспосо́бность		Wettbewerb, Preisaus-schreiben
Kotelett	≠	*котле́та*
↓		↓
отбивна́я котле́та		Bulette, Klops
Mannequin	≠	*манеке́н*
↓		↓
манеке́нщица, манеке́нщик		Schaufenster-, Schneider-, Gliederpuppe
Paket	≠	*паке́т*
↓		↓
посы́лка, па́чка		Einkaufs-, Papiertüte, Post-sache (Brief)
Pfund	≠	*фунт*
↓		↓
полкило́, 500 грамм(ов)		409,5 g
Physik	≠	*фи́зик*
↓		↓
фи́зика		Physiker
reklamieren	≠	*реклами́ровать*
↓		↓
заявля́ть прете́н-зию		werben, anpreisen
Schnitzel	≠	*шни́цель*
↓		↓
отбивно́й шни́цель, стру́жка (Holz-)		Bratklops

Schrift	≠	*шрифт*
↓		↓
письмо́, по́черк, сочине́ние, труд		Druckschrift, Schrifttype

Schweizer(in)	≠	*швейца́р*
↓		↓
швейца́рец, швейца́рка		Pförtner, Portier

Strafe	≠	*штраф*
↓		↓
наказа́ние		Geldstrafe

Tank	≠	*танк*
↓		↓
цисте́рна, бензоба́к		Panzer, Panzerwagen

Technik	≠	*те́хник*
↓		↓
те́хника		Techniker

Truppe(n)	≠	*тру́ппа*
↓		↓
войска́		Theatertruppe, -ensemble

Zentner	≠	*це́нтнер*
↓		↓
полце́нтнера, 50 килогра́ммов		100 kg

Vorsicht, Falle!
Gleich geschrieben, unterschiedlich ausgesprochen

а́тлас	→ Atlas (Kartensammlung)
атла́с	→ Atlas (Stoff)
га́ванский	→ Hafen- (in Zus.)
гава́нский	→ Havanna- (in Zus.)
до́ма	→ zu Hause
дома́	→ die Häuser
забе́гать	→ anfangen (hin und her) zu laufen
забега́ть	→ kurz vorbeisehen, besuchen, vorsprechen
за́мок	→ Schloss (Gebäude)
замо́к	→ Türschloss
за́пах	→ Geruch
запа́х	→ Kante
засы́пать	→ zuschütten
засыпа́ть	→ einschlafen
ка́пельный	→ Tropfen- (in Zus.), winzig, verschwindend klein
капе́льный	→ Tauwetter- (in Zus.)
мо́лодец	→ Bursche (folklor.)
молоде́ц	→ Prachtkerl
му́ка	→ Qual
мука́	→ Mehl
о́рган	→ Organ
орга́н	→ Orgel

па́рить	→ dünsten, schmoren
пари́ть	→ schweben, gleiten
па́хнуть	→ riechen, duften
пахну́ть	→ wehen
по́дать	→ Abgabe
пода́ть	→ geben, servieren
по́ра	→ Pore
пора́	→ es ist Zeit
пра́вило	→ Regel
прави́ло	→ Richtbaum, Schuhleisten
про́вод	→ Leitung, Draht, Kabel
прово́д	→ Leiten (zu провести́)
про́пасть	→ Abgrund
пропа́сть	→ verschwinden
ро́ды	→ Entbindung
роды́	→ Pl. von род
сво́йство	→ Eigenschaft
свойство́	→ Verwandtschaft
у́же	→ enger
уже́	→ schon

у́жин   → Abendessen
ужи́н   → Ernte (veralt.)

у́точка   → Entchen
уто́чка   → Verdünnung (durch das Schärfen; veralt.)

хле́ба   → des Brotes
хлеба́   → Getreidesorten

чу́дно   → wunderbar, wunderschön
чудно́   → seltsam, wunderlich

ю́ра   → Jura
юра́   → Schwarm

Unterschiedlich geschrieben, gleich ausgesprochen

антоло́гия	– Anthologie
онтоло́гия	– Ontologie
бег	– Lauf
бек	– Verteidiger
бро́сит	– (er/sie/es) wirft
бро́сят	– (sie) werfen
бу́дет	– (er/sie/es) wird
бу́дит	– (er/sie/es) weckt
везти́	– fahren, überführen; (unpers.) jmd. hat Glück (Ему́ везёт.)
вести́	– führen, leiten
воскресе́ние	– Auferstehung
воскресе́нье	– Sonntag
кампа́ния	– Kampagne, Aktion
компа́ния	– Gesellschaft, Personenkreis, Begleitung Kompanie, Handelsgesellschaft
(в) лесу́	– (im) Wald
лису́	– Fuchs (Akk. Sg.)
лук	– Zwiebel, Bogen
луг	– Wiese
мета́л	– (er/sie/es) warf
мета́лл	– Metall
пруд	– Teich, Tümpel
прут	– Gerte, Rute, Metallstab

пядь	– Spanne (altes Längenmaß)
пять	– fünf
рог	– Horn
рок	– Schicksal
сидéть	– sitzen
седéть	– ergrauen
частотá	– Häufigkeit, Frequenz
чистотá	– Sauberkeit

Lösungen des Einführungstests (S. 6–7)

Die Zahlen in Klammern verweisen auf die Nummern der entsprechenden deutschen Stichwörter.

1. учи́лся/учи́лась (69)
2. в (74)
3. (тому́) наза́д (97)
4. Дава́йте (105)
5. уме́ю (60)
6. вы́шла за́муж (50)
7. свое́й (52)
8. хо́дит (41)
9. де́вушка (70)
10. кашта́новые (19)
11. одева́ться (5)
12. подхо́дит (78)
13. Наде́нь (5)
14. высо́кого (46)
15. мужчи́на (72)
16. жене́ (36)
17. слы́шит (51)
18. до́брая (48)
19. руководи́тельница (68)
20. ка́ждым (54)
21. сни́мки (17)
22. на (38)
23. не́сколько (23)
24. откры́тки (57)
25. земле́ (61)
26. в (77)
27. челове́к (72)
28. но́мере (106)
29. ве́щи (81)
30. быстре́е (83)
31. плёнка (34)
32. дре́вними (3)
33. а (1)
34. е́сли (103)
35. состои́т (14)
36. понима́ешь (95)
37. чем (2)
38. тру́дную/сло́жную (85)
39. Дела́ (43)
40. Цена́ (80)
41. е́сли (103)
42. по́мнит (27)
43. ви́деть (86)
44. ме́сто (79)
45. бока́л (44)
46. кре́пкий (88)
47. хоти́те (75)
48. чём-то (30)
49. попроща́ться (94)
50. о́коло (40)

128

Index der russischen Wörter

Die Zahlen in Klammern verweisen auf die Nummern der deutschen Stichwörter.

дере́вня (61)
держа́ть (49)
де́ти (58)
дефе́кт (33)
дире́ктор (68)
для (38)
до (18; 97)
до́брый (48)
дово́льно (39)
дойти́ (4)
до́лго (62)
до́лжен (76)
(бегова́я) до-
  ро́жка (8; 64)
доходи́ть (4)
дре́вний (3)
ду́мать (73)
его́ (87)
её (52)
е́здить (31)
е́сли (бы) (103)
есть (29)
е́хать (31)
ещё (84)
же (84)
жела́ть (75)
желе́зная доро́-
  га (8)
жена́ (36)
жена́т (50)
жени́ться (50)
же́нщина (36)
за (38; 53; 77)
заве́довать (67)
заве́дующий (68)
заво́д (104)

за́втракать (29)
загоре́лый (19)
зайти́/заходи́ть
  (16)
заказа́ть/зака́-
  зывать (15)
за́мужем (50)
заяви́ть/заявл-
  я́ть (28)
здоро́ваться
  (11)
земля́ (61)
знако́мый (13)
и (6; 91)
идти́ (31; 41)
из (96)
избра́ть/изби-
  ра́ть (98)
изве́стный (13)
изображе́ние
  (17)
изуча́ть (69)
изучи́ть (69)
име́ть в виду́
  (73)
иссле́довать
  (93)
их (52)
кабине́т (106)
кадр (17)
ка́ждый (54)
как (2)
како́й (102)
како́й-то (102)
како́й-нибудь
  (102)

ка́рий (19)
карти́на (17; 34)
ка́рт(оч)ка (57)
като́к (8)
в ка́честве (2)
кашта́новый
  (19)
кино́ (34)
кинофи́льм (34)
кипе́ть (59)
кипяти́ть (59)
когда́ (2; 103)
ко́е-како́й (102)
ко́е-кто (55)
ко́е-что (30)
кома́ндовать
  (37)
ко́мната (106)
компле́кт (82)
ко́нчить/кон-
  ча́ть (10)
ко́нчиться/кон-
  ча́ться (10)
кори́чневый
  (19)
кото́рый (102)
кре́пкий (88)
кро́ме (18)
кру́пный (46)
кто́-либо (55)
кто́-нибудь (55)
кто́-то (55)
ку́шать (29)
ла́дно (48, 84)
лёд (26)
ле́стница (68)

летáть (35)
летéть (35)
лиди́ровать
    (37)
лишь бы (103)
люби́ть (42; 75)
любóй (54)
магази́н (43)
мéжду тем как
    (99)
мéлкий (46)
меню́ (57)
мéсто (79)
млáдший (46)
мóжно (60; 71)
морóженое (26)
мочь (60; 75)
муж (72)
мужчи́на (72)
мыть(ся) (100)
на (12; 38; 53;
    74; 77; 90)
набóр (82)
набрáть/наби-
    рáть (98)
навести́ть/наве
    щáть (16)
над (90)
надéть/надевá
    ть (5)
нáдо (71; 76)
назáд (97)
назнáчить/на-
    значáть (15)
напóмнить/напо
    минáть (27)

настоя́ть/на-
    стáивать (14)
наступи́ть/на-
    ступáть (25)
научи́ть (66)
научи́ться (69)
начáть/начи-
    нáть (7; 10)
начáться/начи-
    нáться (10)
невозмóжно
    (60; 71)
недостáток (33)
нéкоторый (23)
нéкоторые (23)
нéкто (55)
нельзя́ (60; 71)
немнóго (23; 30)
не мóжет не
    (76)
не тот (32)
необходи́мо (76)
непрáвильный
    (32)
неприя́тный (85)
нéсколько (23;
    30)
несмотря́ на то,
    что (89)
несмотря́ на
    э́то (89)
нести́ (35)
нечётко (92)
нея́сно (92)
ни́зкий (46)
но (1)

но и (1)
нóмер (106)
носи́ть (35; 37)
ну́жно (71; 76)
о (90; 96)
обéдать (29)
оборýдование
    (24)
обрабóтать/
    обрабáты-
    вать (15)
обстанóвка (24)
обучáть (66)
обучи́ть (66)
объяви́ть/объ-
    явля́ть (28)
объясни́ть/
    объясня́ть
    (28)
объясни́ться/
    объясня́ться
    (28)
одéть/одевáть
    (5)
одéться/оде-
    вáться (5)
óколо (23; 40;
    92)
орби́та (8)
осмáтривать
    (93)
осмотрéть (93)
останáвли-
    ваться (49)
останови́ться
    (49)

уж (84)
ужé (84)
у́жинать (29)
умéть (60; 95)
управля́ть (67)
услы́шать (51; 95)
учи́ть (66; 69)
учи́ться (69)
учреждéние (24)
фа́брика (104)

фальши́вый (32)
фильм (34)
фи́рма (43)
фра́за (82)
ходи́ть (41)
хорóший/хорошó (48)
хотéть (75; 105)
хотя́ (103)
цéлый (39)
ценá (80)

часть (82)
человéк (72)
чем (2)
чéрез (22; 53; 77; 90)
что (21)
чтó-либо (30)
чтó-нибудь (30)
чтó-то (30)
чтóбы (21)
шу́мный (65)

Notizen